Casse Bonbon Attrape un Rhume

Histoire de Sarah Willson

Illustrée par Barry Goldberg

Traduit de l'américain par Jean-Robert Saucyer

D'après la série télévisée *Les Razmoket*
créée par Arlene Klasky, Gabor Csupo et Paul Germain.

Publié par Presses Aventure
Presses Aventure est une division de
Les Publications Modus Vivendi inc.
C.P. 213, Dépôt Ste-Dorothée
Laval (Québec) Canada
H7X 2T4

ISBN 2-922148-51-3

Par une froide journée d'hiver,
Casse bonbon et ses amis s'amusaient au jardin public.
Casse bonbon alla trouver sa mère en se dandinant comme un canard.
Il saisit un biberon et se mit à boire.

Soudain, une ombre plana sur lui. "Hé! ce biberon est le mien!" lança un gamin à l'air étrange et au nez rougi.

Étonné, Casse bonbon le lui rendit. "Le Dr Lipschitz prétend que l'air frais est salutaire pour les enfants, même l'hiver" racontait Lucy, la mère de Casse bonbon. "Mais il semble que plusieurs des petits soient enrhumés." "Bien vrai!" répondit Gertrude de la tranche. "Rentrons à la maison avant que les nôtres n'attrapent le rhume".

Le lendemain, Casse bonbon se réveilla avec une étrange sensation.
Il avait du mal à respirer et un chatouillement dans la gorge.

Un sentiment de panique s'empara de Lucy
lorsqu'elle aperçut Casse bonbon. "Jean Roger!" lança-t-elle
"Casse bonbon est malade!" "Appelle les ambulanciers!"
cria Jean Roger en se précipitant dans la chambre de son fils.
"Ce n'est rien, dit le grand-père de Casse bonbon, le petit a attrapé
une bestiole." "Une bestiole?"
murmura Casse bonbon à voix basse.

"Je téléphone au docteur Lipschitz" dit Lucy.
"Il est cinq heures trente et nous sommes dimanche!"
objecta grand-papa Lou. Mais Lucy était déjà au téléphone.
Elle discuta un long moment et nota de nombreuses indications.

Plus tard au cours de la matinée, Jean Roger s'enferma dans la salle de bains avec Casse bonbon. Il fit couler une douche d'eau chaude pendant un bon moment. La vapeur emplit la pièce.

Casse bonbon resta allongé sur le canapé pendant le reste de l'avant-midi. Sa mère venait aux cinq minutes lui toucher le front et moucher son nez. Puis, elle ouvrit un gros bocal mauve. "Un peu d'onguent et tu respireras mieux" dit-elle d'une voix rassurante. Elle appliqua l'onguent à l'odeur affreuse sur le torse de Casse bonbon.

Plus tard ce jour-là, Casse bonbon reçut la visite de ses amis.
Lucy fit en sorte qu'ils ne soient pas en contact direct avec Casse bonbon.
"Vois ce que j'ai là!" fit Lucy en entrant dans la pièce avec
une poire nasale à la main.

"Cela va déboucher ton nez" le rassura-t-elle.
"Ouaaaahhh!" crièrent d'effroi les amis de Casse bonbon.
Casse bonbon ne réussit qu'à gémir faiblement.

"Je ne peux pas continuer comme ça!" dit Casse bonbon d'une voix nasillarde."Il faut que je trouve la bestiole et que je lui rende la liberté."
"De quelle bestiole parles-tu?" demanda Charles Édouard.
"La bestiole que j'ai attrapée au jardin public! Elle a dû s'infiltrer dans le sac de couches, mais quand j'ai fouillé dedans, elle n'y était plus. Elle doit être quelque part dans la maison" expliqua Casse bonbon.
"Dans ce cas, nous allons t'aider à la retrouver" proposa Alphonse.
"Elle ne nous échappera pas!" lança Sophie.

Les bébés fouillèrent toute la maison.
“Est-ce une grosse bestiole, Casse bonbon?” demanda Charles Édouard.
“Probablement” répondit-il.
“Faut-il l'écraser si nous la trouvons?” demanda à son tour Sophie.
“Non!, dit Casse bonbon, nous devons la libérer.”

"Voici ton remède" dit Lucy en revenant avec une tasse.
"J'ai ajouté au jus vingt-sept gouttes d'huile de graminées distillées.
Tu ne goûteras pas le remède." Heureusement pour Casse bonbon, la
sonnerie du téléphone retentit à ce moment.
"Ce doit être le docteur Lipschitz qui retourne mon appel"
dit Lucy en se précipitant à la cuisine pour répondre.
En son absence, Casse bonbon remit la tasse de remède à
Charles Édouard qui la dissimula derrière une plante d'intérieur.

Le lendemain, Casse bonbon se sentait un peu mieux.
"J'hésite, dit Lucy, car son nez est encore congestionné.
Je ferais peut-être mieux de téléphoner de nouveau au docteur
Lipschitz." "Mais c'est absurde!" lança grand-papa Lou.
"Dans ma jeunesse nous ne consultions pas un
spécialiste pour le moindre bobo; nous prenions
de fortes doses d'huile de foie de morue.
C'était aussi simple que ça!" "Bonne idée!"
s'exclama Lucy en se dirigeant vers l'armoire
à pharmacie.

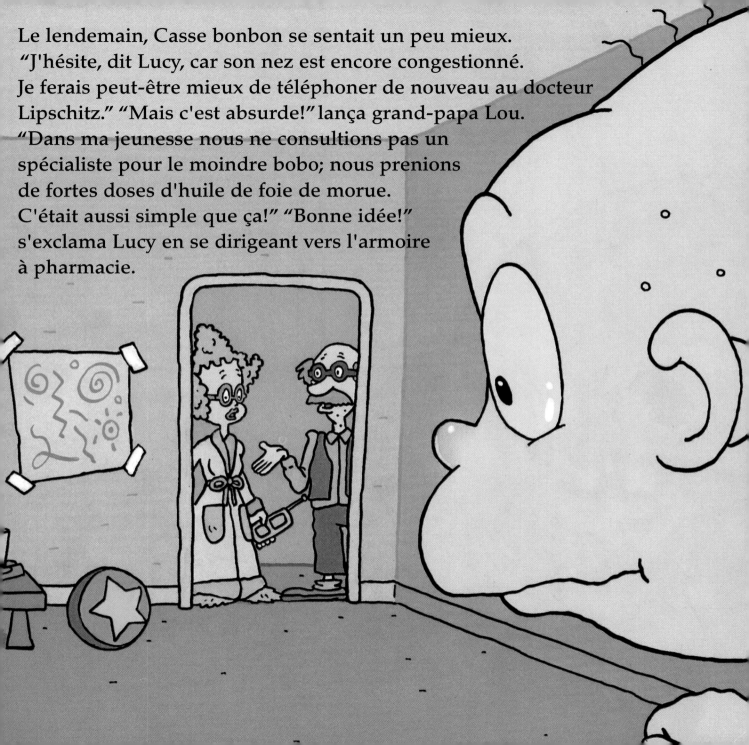

"Continuons à chercher la bestiole" demanda Casse bonbon à ses amis lorsqu'ils vinrent lui rendre visite. "Je ne peux plus supporter l'huile de foie de morue!" "Courage Casse bonbon!" lui lança Charles Édouard. "La bestiole s'envolera peut-être d'elle-même." "Nous devrions ouvrir toutes les portes et fenêtres" proposa Alphonse. "Ou alors téléphoner à un exgerminateur" suggéra à son tour Sophie. Soudain, Hubert le chien de Casse bonbon, se mit à grogner. Immobile, il fixait quelque chose dans un coin de la pièce. "Qu'est-ce que c'est, vieux?" murmura Casse bonbon.

Hubert commença à aboyer bruyamment, se précipita dans le coin
en question, freina et se mit à fixer quelque chose du regard.
Casse bonbon et ses amis le suivirent. Là, derrière une plante en pot,
se trouvait la tasse de remède cachée depuis la veille.
Et, sur le bord de la tasse, rampait une petite... bestiole!

"Ça ne me dit rien de bon" lança Casse bonbon d'une voix apeurée. "Cette bestiole est peut-être dangereuse." "Nous ferions mieux de prévenir une grande personne" dit Sophie. "Nan! Je l'ai attrapée une fois, je peux la rattraper de nouveau!" répondit Casse bonbon.

Casse bonbon emprisonna gentiment la bestiole à l'intérieur de son biberon. Charles Édouard ouvrit la porte d'entrée. Casse bonbon, usant de précaution, libéra la petite bestiole."Te sens-tu mieux, à présent?" demanda Charles Édouard. "Peut-être un peu" répondit Casse bonbon.

Le lendemain matin, Lucy entra dans la chambre de Casse bonbon afin de jeter un coup d'oeil sur lui. "Tu as pris du mieux au cours de la nuit!" s'exclama-t-elle, ravie. "Et moi qui t'apportais un cadeau pour te souhaiter un prompt rétablissement! Un mobile composé d'insectes de la forêt tropicale." Après qu'elle eût fixé le mobile au montant du lit, Lucy accourut annoncer la bonne nouvelle à Jean Roger. "Pour toi, mon vieux!" murmura Casse bonbon à Hubert pendant qu'il enlevait le mobile. "Finies les bestioles en ce qui me concerne! Par contre, elles te feront des jouets à mâchonner!" Hubert fit le beau et aboya de joie.